구원은 익사한다

KB178109

구원은 익사한다

발　행 | 2024년 2월 6일
저　자 | 유아름
펴낸이 | 한건희
펴낸곳 | 주식회사 부크크
출판사등록 | 2014.07.15.(제2014-16호)
주　소 | 서울특별시 금천구 가산디지털1로 119 SK트윈타워 A동 305호
전　화 | 1670-8316
이메일 | info@bookk.co.kr

ISBN | 979-11-410-7062-5

www.bookk.co.kr

구원은
익사한다

유아름 지음

CONTENT

제1 우울의 늪

자살을 원했다. 익사를 원했다. 깊고 어두워 보이지도 않는 어둠에 갇혀버리기를 원했다. 그래서 뛰어들었다 바다에. 어두운 밤, 아무도 나를 확인하지 못할 시간일 때 나는 죽으려 들었다. 모든 것을 다 관두기 위해, 포기하기 위해. 그만두고 싶어서 그 높은 난간 위에서 아주 낮은 곳으로 향하기 위해 뛰어들었는데, 내 몸은 반대한 듯했다. 숨을 쉬고 뱉기를 원했고, 빠른 물결에 눈을 감으면서도 앞을 보기 위해 애썼다. 작은 빛이 반짝이면 그곳으로 향하기 위해 어떻게든 발버둥 쳤다. 초등학생 때 전부 배운 것도 아닌 두 달을 겨우 배운 수영을 몸이 기억한다 생각하였는지 그 조금 있는 기억을 가지고 참으로 한심하게 움직였다. 나아가지도 않는다는 것을 한참이 지난 후에야 알아차릴 만큼 바보 같았다. 숨을 쉬지 못하니 눈도 제대로 뜨지 못했다. 그래서 숨을 쉬기를 포기한 채 눈을 감을 때 즈음 내 몸이 붕 떴다. 눈을 뜨지는 못했다. 숨이 쉬어지지 않으니, 몸에서 힘이 풀렸으니. 죽어가는 듯, 포기한 상태로도 많은 생각이 들었다. 무엇이지, 무엇일까. 나를 든 것일까, 더 가라앉으려는 것일까. 말도 안 되는 생각이 났다. 돌아다니던 물고기들이 나를 마주하여 죽었다 생각하곤 잡아먹으려는 것일까. 그러다 갑자기 몸이 물 위로 떠올랐다. 눈을 뜨고 주위를 둘러봐도 아무도 없었다. 어차피 죽을 생각이었으니 살고 싶다는 생각이 들었음에도 살아나갈 수 없는 곳이었으니 포기했던 셈이었는데 눈을 뜨고 보니 물 위였다. 어떻게 된 일일까. 누군가 구했다 하기에는 바다는 조용했고 여전히 어두웠다. 그러나 그런 바다가 너무나 아름다웠다. 어느새 누가 나를 밖으로 꺼내두었는지, 나를 들어 올려 이곳에 데려다 놓았는지는 중요하지 않게 생각하고 있었다. 그저 바다의 아름다움에 살아야겠다고, 바다의 넓음에 살고 싶을 생각뿐이었다.

내 연극인 식사 자리. 포크로 희망을 잡고 꼭꼭 씹는다. 또, 사랑도 잡아 꼭꼭 씹고. 그렇게 웃으며 아름다움만 잡아 씹는다. 먹기 싫은 말부터 불편한 말까지, 계속해서 삼켜낸다. 그리고선 식사 자리가 끝나면 목 끝까지 손가락을 넣어 게워낸다.

역겨워서,
그 자리에 있던 내가 너무 한심해서.

손으로 살을 물어뜯다
만족이 되지 아니하였는지
조금씩 자르기 시작했다.

자르고 먹고,
자르고 먹고

반복되어 갈 때 즈음
나의 형태가 보이지 않게 되었다.

행운을 붙잡고 있으렴.
내 행운까지 전부.
두 손이 다 베여 너덜너덜해질 때까지.
그리고 맘껏 웃으렴,
남이 네 행운을 가져가지 못하도록.
그러다 내가 네 것을 빼앗으려 할 때
나를 미치도록 증오해 봐.
그렇게 네가 망가짐을 겪을 때면
난 너의 위에서

너의 멸종을 바라보고 있을게.

망가진 사람 같다.
그냥 정신병 걸린 인형이 따로 없네.
암막 커튼으로 어두운 방 안에서
담배나 피우면서,
올라가는 뿌연 연기만을 바라보다

고양이 곁에 누워
한참을 천장을 바라보는 게

하는 것도 없이
두통과 우울만 느끼는 게 참 멍청해 보여

자살을 희망합니다.
왜냐고 물어요 다들.
이 망할 사회가 마음에 들지 않는 것보단
이곳에 사는 제가 마음에 들지 않아서요
머리부터 발끝까지
예쁜 구석이 하나 없어요.

이것뿐이겠어요?

할 줄 아는 것도
잘하는 것도 없는 이가 사랑만 바라는데
이게 마음에 들겠어요?
갈기갈기 찢어놓고 싶지.

심장을 꺼내어 볼 순 없나요.
내 심장이라도 괜찮아요.
왜냐고요?

궁금하잖아요.
어떻게 뛰는지 왜 멈추지 않는지.
내가 상상하던 촉감일지 아닐지
저것을 움켜잡아 터트릴 수 있는지
궁금하니까요.
나와 같은 궁금증이 생긴다면 내 심장을
기꺼이 드릴게요.
망가트려 주실래요?
만져보고 이것저것 관찰하다 터트려주세요.

숨을 죽인다.
숨을 옥죄이고 발버둥 치지 못하게 묶는다.
죽어야 한다.
다시는 살아 움직이지 못하도록.
햇살을 죽이고 숲을 죽이고
소리를 죽였는데 더 나아가
사랑까지도 죽였는데
왜 어째서 이 숨은 죽지 않을까.
시간을 죽였다.
그리고 가면을 부수고 죽였다.
그런데도 숨은 죽지 않는다.
제발 죽어버려라.

입안에서 소리가 굳었는지 뱉어지지 않는다.
손가락을 집어넣어 휘저었다.
혹시라도 마비된 것일까 해서.
입안에는 끈적한 타액이 다였음에도, 멀쩡함
에도 소리가 나오지 않는다.
그래서 위액이 흐를 때까지

입안을 휘저었다.
신맛이 돌고
타액이 묻어나와도 멈추지 않았다.
그럼에도 소리가 뱉어지지 않는다.
무엇이 문제일까.

편지를 쓴다,

대상도 모르는 누군가에게.
아마도 커피의 향에,

추적추적 내리는 빗소리에 취해서일까
평소 쓰지도 않던 말을 담았다.

당신을 사랑하고 싶다든지
당신께 사랑을 배워보고 싶다든지,
얼굴도 모르는 상대에게 그렇게 써댔다.

사랑이 고팠던 걸까,
분위기 따라 편지를 썼던 걸까.

죽일 듯이 내게 달려오는 별아
내게 죽음을 선물하려 다가오는 별아

어서 나를 데려가 주라.

세상 모든 빛을 갈취해간 별아

어서 나를 죽음으로 몰아내렴.
그래야 네가 나를 먹어 네가 커지지.
나를 데려가 얼른 먹어치우렴.

피아노 위를 걷는다.

하얀 건반,
검은 건반
번갈아 가며 천천히.

각각 춤을 추던 건반들은 내가 걷는 속도에
맞춰 멈춘다.

한 음
한 음
밟을수록 피아노 속에 갇힌 느낌이 든다.

어떻게 하여도 이 건반 위만 반복이다.
잔잔한 음에 나는 점점 외로워진다,

아무도 없는 곳,

있는 것이라고는

흰 건반과 검은 건반뿐이니.
같이 걸을 사람이라도 있으면
좋으련만 아무도 없다.
내가 걷는 건반들도 내 감정을 아는지 슬피
울기 시작한다.

구슬피 우는 듯한 음에 나도 눈물을 툭툭 떨
어뜨리며 걷는다.

보이는 것
들리는 것이 모두 같으니 피아노 속에
갇힌 게 맞는 것 같아서.
그것도 나 혼자 이 음들을 밟고 걷는 것이
너무 괴로워서.

어린 시절,
그것들이 막 달려들기 시작했다.

무엇이었나,
침대 밑에 살던 그것들은.
이리저리 움직이며 내게 덤벼들었다.
그들은 내 뼈 사이사이를 훑었다. 갈비뼈,
척추뼈 하나하나 그들이 전부 지나다녔다.
징그러웠다.
사라지길 원했다.
그러더니 사라졌다. 역겨운 그것들이.

마음 한 구석이 텅 비었다.
이것을 채우려 온갖 힘을 다했다.

그러다 보니 내가 고장 났다.
아파 죽을 것 같다.

이것을 채우지 못하고 있으니 금방이라도
죽을 것 같다.

빈 곳을 채워야 하는데
이젠 그 무엇으로도 채울 수 없을 것 같다.

목이 욱신거려 목에 칼을 꽂고
자살하려 한다.
나를 파쇄기에 넣어 갈아버릴 수도 없으니,
나 혼자 내 사지를 갈라 찢어버릴 수도
없을 노릇이니
자꾸만 욱신거리는 내 목에 칼을 꽂아
죽어버리려 한다.

사랑아,
나를 데려다 길러줘.

너로 가득 차게 만들어 나를 세상 밖에 내어
줘. 사랑이 가득한 아이로 길러서 사람이란
존재에게 행복을 전해주도록, 그리곤 생을
마감할 수 있게. 사랑아, 너를 따라갈래. 나
를 예뻐해 줘. 내가 죽을 때 즈음 사랑이 모
두에게 퍼질 순간까지.

활자의 배열이 엉망이다. 아, 내가 엉망인가. 어지럽다. 전부 하나같이 다 앞뒤와 관계없어 보인다. 어떻게 해야 하지, 아니 어떻게 해야 이 망할 어지럼증이 가라앉지. 내가 쓰는 것들만 내 머릿속에 집어넣고 싶다. 그래도 활자들은 엉망이려나. 그렇다면 나를 죽이면 되돌아올 거야, 내 탓이니까.

더이상 살아가는 것에 의미를
부여하지 않는다.

어릴 때야 왜 살고 무얼 하며 살아야지
고민하는 척이라도 했지,
지금은 그딴 거 척도 하지 않는다.

척만 하는 게 존나 애 같아서,

그딴 거 생각해 봤자 바뀌는 것도 없는데 왜
그렇게 오래 생각했을까.

아파서 이도 저도 못하고 있었어. 심장인지, 내 뇌인지 너무 아파와서. 총에 맞아 뚫린 것처럼 가슴이 저려왔고 뇌는 쥐가 와서 파먹은 건지 이를 꽉 물어야 할 정도로 무척이나 아팠어. 심장도, 뇌도 쥐가 다녀간 걸까? 아니면 심장은 누가 빼내가기라도? 그게 무엇이든 그 아픔을 난 설명할 수 없어.

칼을 쑤셔 넣었다.
붉은 피가 아닌 푸른 피가 흘러내렸다.
맑고 푸른, 깨끗하고 투명한 피는 칼을 쑤셔
넣은 손목을 지나
팔을 타고 바닥으로 흘렀다.

툭..
툭..

피가 멈추지 않고 흘렀다.
딱히 흐르는 걸 막지 않았다.
흘러내리는 그것이 너무 아름다워서,
흘린 푸른 피가 바닥에 고인 것이 예뻐서.
손목에서 멈추지 않고 흐르는 그것을 내 눈
에 담아야 했다.
그냥 그것이 멈추지 않고 흘렀으면 좋겠다
계속.

욕조에 물을 살짝 받는다.
그리곤 귀까지 차오르도록 물 위에 눕는다.
잔잔한 물소리,
들리는 소리라곤 물이 나를 감싸는 소리뿐.

이곳이 만약 구원이라면,
나는 이곳에서 죽을 수 있을까.
또는 이곳에서 살 수 있을까.
모르겠다,

이제 나는 구원을 바라지 않으니.

그저 이 물 위에서 눈을 감았으면.

별도, 그리고 달도 쉬러 갈 때
나를 안고 데려가 줬으면 해.

얼마나 따뜻할까, 그들의 품은.
내가 차갑다고 도망가지만 않았으면 좋겠다.

어여쁜 그들이 나를
봐줄 거라 생각하지 않으나,

내 꿈이야.

그들이 나를 품에 그들의 가둬주는 것,

그곳에서 나는 녹아내려
사라져버리고 싶으니.

별아, 반짝이는 별아.

나 좀 데려가 주렴.
달에게 나를 떠밀지 말고 따뜻한 별아,

네가 나를 좀 데려가 주렴.
네가 추락할 때 즈음 나와 같이 추락하여 주
렴.

내 손을 잡고는 따뜻이 추락하자.
그렇게 나를 죽게 해주렴.

추락하며 땅에 다다랐을 때,
맞잡은 두 손을 놓고 내가 떨어지게 해주렴.

속이 썩어 문드러졌어요.
어떡하면 좋죠.

공허해요. 이제 아무도 나를 봐주지 않아요.
공허해서 빠져나가기 위해 발버둥 치는데,
결국에는 다시 돌아와요.
그냥 깨진 항아리에 물 붓기나 다름없잖아
요.

이렇게 아픈데,
더이상 살아갈 수 없을 정도로 아픈데
내 주위에 아무도 없다는 게 믿을 수 없어
요.

이제 나를 모르는 사람들이 말하는,
곧 나아질 거야 라는 말도 믿지 않아요.
다 거짓인걸요?

나를 향한 말이 아닌 것도 알고 있어요.

전부 내가 귀찮아서겠죠.
내가 우울을 푸는 게, 내가 우는 것이 전부
그들이 보기 싫으니까.

" 거기 119죠, "

" 무슨 일이 신가요? "

무슨 일은 없다.
그저 자살하고 싶은 것뿐.
그뿐이었다, 그래서 전화를 걸었다.

" 여보세요? "

나는 한참을 말하지 않았다.
그럼에도 119쪽에서는 전화를 끊지 않았다.
아마도 내가 무슨 일이 있을까 봐 그렇겠지.

한참을 조용히 있다 말을 꺼냈다.

" 자살을 원해서요. "

당황한 듯 보였다.

당연했으려나.
119쪽은 내게 어디냐고 물었다.
나는 대답하지 않았다.
그저 그런 생각이 들었기에 전화를 건 것이
기 때문에.

" 사람 많이 구해주세요, 아픈 사람이 더 이
상 생기지 않게. "

그렇게 말하고 나는 바다로 뛰어들었다.
나는 그들에게 내가 어디에 있는지 이야기하
질 않았으니까,
아마 소리를 듣고 알았을 것이다.

물이 튀는 소리,
사람들이 어떡하냐며 웅성거리는 소리,
그리고 안녕이라고 작게 내가 말한 소리,

그것들을 119는 들었을 테니까.
그들은 사람에게 매우 예민할 테니까,

소리 하나하나에, 그리고 사람들의 말에 반응할 테니까.

그렇게 바다에 뛰어들었더니,
사람들의 반응은 다들 하나같이 똑같았다.
웅성거렸고, 소리를 질렀고, 신고를 했다.

내가 뛰어들었을 때,
나는 웃었다.

과연 내가 이곳에서 죽을 수 있을까.
그럴 수 있으면 좋겠다 부터,
온갖 생각이 들었다.

바다, 그곳은 사람이 많은 생각에 잠길 수 있는 곳이었다.
아무리 죽을 생각으로 뛰어든 것이지만
노을이 지는 바다는 무척이나 예뻤다.

그러나 그와 다르게 바닷속은

매우 차가웠다.
아, 당연했으려나.
겨울이었고 노을이 지는 저녁이었으니.
바닷속은 춥고 차갑고, 어두웠다.
앞이 보이지 않아 움직일 수도 없었다.

그럼에도 좋았다.
잘하면 죽을 수 있을 것 같아서.
끝 없이 가라앉는 그 느낌이 좋았다.

119가 왔을 때 나는 이미 죽어가고 있었다.
숨을 뱉기 어려웠고 눈을 뜨기도 어려웠기
에.

마지막은 행복했다.
잠기는 숨을 쉬지 못하는 그 느낌이 내게는
행복했다.

시인의 표현을 빌려보자 하면,
나는 한참을 떨어지고 뒤처진다.

모든 부분에서 하나하나, 낭떠러지에서
부스러기가 떨어지듯.
그야말로 난장판이다.

부스러기들이 모여 삶을 형성하고 남은 낭떠
러지 조각이 죽음을 형성한다.
그 시인의 표현은 늘 죽음만을, 그리고 부족
함을 표현하던 듯했으니.

기분이 어때요?

.. 외로워요.

물에 떠다니는 것 같아요.
내 무게가 사라진 듯 느껴지지 않아요.
미지근한 물 속에 가라앉아서 숨을 쉬지 못
하는 것 같아요.

마치 이 세상에서 나만큼의 부피가 사라져
둥둥 떠 있는 것 같아요.

아무와도 속해있지 않아요.
외로운 것이 사라지지 않아요.
외로워서 아파요.

결핍이 나를 중독되게 하였다.

결핍 속에 빠져 허우적대다 그 속에서 나올
때 즈음 다시 빠져들었다,
이것을 영원토록 벗어날 수 없을 것 같은 느
낌이었다.

아무리 주변을 파헤쳐도,
결핍은 나를 더욱 결핍에
중독되도록 만들었다.

애정에 목이 마르도록,
애정의 결핍에 죽어 나가도록.

죽음이 무엇이라 생각해?

우울에 잠식되어가는
나를 보면 죽어야 할까?

스스로 목숨을 끊는 이들은 지옥에 간대.
나도 지옥에 갈 것만 같아.

모든 원인을 나로 돌려
나를 망치고 피를 흘리며 우는 나는
죽어야 할 것 같아.

살 수 없을 것 같아
살고 있는 내가 보기 싫어서.
지옥에 가서 영원히 죽을래.

바다를 보고 왔어. 역시 생각한 대로 아름다
웠어. 꼭 그 속에 익사하고 싶은 기분이었달
까. 늘 생각하는 대로 사랑만을 원하던 기분
은 아니었어. 신기했었지, 그렇게 애정만을
갈구하던 내가 원하지 않았다니. 오랜만에
죽고 싶었지만, 너무 예뻤던 터라 그랬어.
계속 멍하니 볼 수 있던 게 오랜만이라

우울증에 걸렸다 해서 마냥
불행한 건 아니었다.

행복하다고 느낄 때도 있었고
웃기도 했었다.

그래서 더 지옥 같았다.
괴로웠고 미치도록 아팠다.

나를 표현할 수 없었다.
그저 웃기만을 반복했다.

우울증에 걸려놓고 걸리지 않은 척,
다들 나를 멀쩡하게 보길 원해서.

난 심장이 갈라진 듯했는데.

버스정류장에 해파리가 앉아있다. 심장도 없이 투명한 해파리가. 버스가 오기를 기다리는 걸까. 뇌는 있는 걸까, 생각이라도 하며 기다리는 건지 어딘가를 응시하며 앉아있네. 버스정류장이 바다라고 생각이나 하는 걸까. 몇 대의 버스가 지나가도 타지 않던 해파리는 밤, 마지막 버스에 치여 죽었네. 무슨 생각이었던 걸까. 왜 스스로 버스에 치여 죽었던 걸까. 아닌가, 살아있나. 심장이 없으니 살아있을 수도 있겠다. 해파리는 죽고 싶었던 걸까?

만약 다시 태어난다면,
나는 해파리가 되고 싶어.

있잖아
해파리는 심장이 없대.

그러니 감정을 못 느끼지 않을까?

그러니까 다시 태어난다면 해파리가 될래.

감정 하나 못 느끼고 편하게 헤엄치다가
그러다 죽을래.
생각도 감정도 못 느끼다가, 그렇게.

해파리는 심장이 없으니까 아프지 않을 거야. 심장뿐 아니라 위와 내장 기관도 없으니 무언가를 먹고 소화시킬 일이 없겠지. 바닷속에는 심장이 없는 해파리가 많겠지? 그들 모두 아프지 않고 공허하지도 않을 테고 부러워. 감정도 없을 테니 사랑으로 아플 일도 없을 걸. 사랑이란 감정도 모를거고.

작은 파도가 커졌을 때,
가까이 다가가 본 적이 있어?
당장이라도 휩쓸릴 것 같아 두렵지만

파랗고 투명한 그 파도가 얼마나
예쁘던지,
다시 한번 더 볼 수 있다면 좋겠어.

그럼 그때 나는 바닷속으로
뛰어들겠지?

분명 기쁠 거야.

마음 한구석이 비어서 무엇이 결핍인지를 몰라서, 그래서 하나씩 이것저것 흘러내릴 만큼 채워 넣었어. 그랬더니 내가 고장 나버렸나 봐. 그 무엇을 채워 넣어도 텅 비어있는 듯한 느낌이야. 공허하다고 더 채워 넣으면 안 될 텐데…, 너무 아픈 나머지 급급해서 손에 집히는 거라면 전부 넣어보니.

없는 신은 나를 버렸어.
내가 우울에 잠식되어갈 때부터
내가 심장을 쥐고 뛰지 않게 멈출 때부터.

내 팔목에 온갖 낙서를 하고
땅 파듯 팠을 때도
내가 아름다운 피를 뚝뚝 흘리며
온몸이 젖었을 때도
신은 그런 내가 역겨웠나 봐.

나를 버렸어.
믿지도 않는 신이 날 버리고 죽였어,
피로 물든 나를.

사랑이 구원이라 믿었던
어린 나를 원망한다.

사랑이,
그게 무엇이었다고 구원이라 믿었을까.
훗날 내 심장을 난도질하는 줄도
모르고 바보같이.

숨을 조여오는 사랑이 구원일 줄 알고
뻗은 숨에 그대로 죽어버린다.

마치 사형수처럼.

살인이 구원인 줄 알다 감옥에서 썩어버리는
것과 죽어버리는.

선생님 힘들면 연락하라 하셨잖아요.
근데요

나 연락할 용기가 없어요.
또 무시당할까 봐.

또 불편해할까 봐.
연락할 수가 없어요.
죽을 것 같아요

죽고 싶어요.
선생님
알아주시면 안 돼요?

먼저 내게 와주세요.
그럼 괜찮다 답할게요.

선생님 나 좀 죽게 해주세요.
죽을래요.

선생님
저 너무 힘들어요.

아파요
선생님

죽을 수 있을 것만 같아요.
당장이라도 죽여달라고
아무도 찾지 않게 잊히게
해달라고 빌고 싶어요.

아파요
아파요

나 심장이 너무 뜨거워서
터져버릴 것만 같아요.

죽여주세요.
죽을래요.

여기서 투신하면 죽을 거예요.

안녕
잘 지내요
선생님.

선생님
어떻게 살고 계시나요.

전 요즘도 헐거워져 느슨한 하루하루를 삼키
고 있습니다.

말라버린 제 입속과 몸은 망가진지 오래에
요.
무엇을 삼키고
또다시 뱉어버리고 어떻게 해야 할까요.

목구멍을 파내어 생각을 꺼내야
제 몸을 더 망가트릴 수 있을까요?

나를 떠나간 아이에게
잘 지내니?

그쪽은 어때 살만해?
언니와 있었을 때랑은 다르겠네.
그쪽이 훨씬 더 좋겠다.

너는 나를 잊었을까?

어떻게 보면 그때의 나는 어리석었으니까.
너한테는 내 소식 전하고 싶었어.
우리 안 본지 꽤 됐으니까.

아직도 언니는 널 사랑해.
보고 싶어 아가야.

어떤 사람들에게는
자살이 최고의 처방일 수 있다.
그러나 자살에 지읒 자도
모르는 이들이 욕을 해대겠지.

그들은 깊은 심해 속
우울을 이해하지 못하니까.
그 심해 속에서 허우적거려본
사람이야 알 테다,

그저 그대로 가라앉아 죽는 것이 가장
현명한 선택이라는 것을.

수근거림은 물속에서 잊도록.

언니한테는 뭐든지 전부 이야기했어.
내가 아프단 것도
죽고 싶어 미칠 것 같다고.

그리고 더 이상 살고 싶지 않다는 것도.
사는 게 무섭다고.

근데 사실 언니가 제일 힘들 텐데
힘들었을 텐데.

이제야 언니에게 고생 많았다 전하면 언니는
무슨 반응일까.

뭘 고생은, 이라며 부끄러워하려나.

끝없는 우울에 아파하며 도망칠 때 즈음 바
다에 빠져버렸다.

녹아내리는 심장을 부여잡고
눈을 질끈 감은 채 달리니 바다는 이미 내
무릎까지 차올라 있었다.

그럼에도 뒤쫓아오는 우울을 피하려 심호흡
한 뒤
바다 한가운데로 달리기 시작했다.

가슴
목
폐
숨.........

점점 차오르는 물이 내 시야와
앞길을 막으니

내 몸은 무너져내렸다.

그럼에도 쫓아오는 우울에
막힌 길이니 휘말렸다.
무너지면 내 몸은 산산조각이 나며 조각조각
떠내려갔다.

한없이 우울한 날이었다,

죽고 싶었고
당장이라도 내 몸에 칼을 대고 싶은 심정이
었다.

난간 위에 매달리기도 해보고 칼을 들어보기
도 했다.

그때
모든 연락을 보지 않으려 무음으로 바꿔놨던
내 휴대폰이 반짝였다.

수신인은 언니
처음에는 거절했으나 몇 번이고 다시 걸려왔
다.

왜 전화했냐 물으니

보고 싶어서,
전화했다는 말이 눈물을 떨어지게 만들었다.

어쩌면 내가 듣고 싶어 한 마리 아닐까.
죽음을 준비하려던 게 아니라
나를 사랑한다고
보고 싶다는 말을 듣고 싶었던 게 아닐까.

세상을 내 사람이라는 존재로 인해 사랑을
해보고 싶었던 걸까.
세상을 사랑하는 일은 사실 그다지 어렵지
않은가 보다.

나의 겨울은 그리 길지 않았다.
펑펑 끝없이 내리는 눈을
창밖으로만 바라만 보다
밖으로 나갈 때는 그쳐 있을 눈에 미련 없이
떠나보내기로 했었으니까.

하지만 정신을 차렸을 때는 그 겨울에 내리
는 함박눈을 붙잡으며 되지도
않는 나비의 날갯짓을 바랐다.

알고 있었다.

겨울에 나비는 말도 안 되는 소리고 하늘을
향해 날아오를 수 없다는걸.
그랬기에 내게 나비와 눈은 미웠다.
특별했고
잊을 수 없었다.

떠올리면 떠올릴수록
내가 미워지는 존재였다.
겨울을 떠나보내고 봄이 찾아와 나비가 날갯
짓할 때
아름답게 꽃을 피울 수 있었다.

그럴수록 벼랑 끝에 내몰리는 나는 더없이
위태로웠다.
벼랑 끝에서 부는 미지근한 바람에 날려 바
닷속으로 빠졌다.

겨울이 다 지나지 않아 바다는 차가웠다.
그 어둡고 깊은 바다는 그 무엇도 남아있지
않았다.

그곳에서 느낄 수 있는 건
공허와 외로움뿐이었다.

눈이 퉁퉁 부을 때까지 울었어. 눈이 부어 떠지지 않을 정도로. 생각으로 가득 찬 뇌를 먹어버리고 싶을 정도로. 아, 그러면 뇌를 삼킨 목이 아플까? 너무 많은 생각으로 목이 막힐 테니까. 잘근잘근 씹어 넘기면 생각이 모두 사라질 거야. 그럼 울 일도, 뭐든 오래 생각할 일도 없겠지. 뇌를 먹자.

그럴듯한 단어로 포장된 말을 쑤셔 넣어
문장을 만들기 시작해.

인생이 죽는 다와 같고 이별이 사랑과 같다
는, 그럴듯한 단어로 쓸데없는 문장을 만들
어. 목 끝까지 차오른 단어들을 뼈 사이사이
까지 다시 쑤셔 넣고 목을 움켜잡아. 그리곤
소리치지, 모든 것이 죽어버리라고.

엄마, 나 인어를 봤어요. 정말 정말 아름다 웠어요. 하얗고 파란 비늘에 반짝이는 눈까 지. 엄마, 난 분명 그 인어를 구할 왕자님일 거예요. 그러지 않는 이상 내가 인어를 볼 일이 없는걸요? 그 누구도 보지 못했어요, 나만 보았다니까요. 제가 구하지 못한다면 저 인어는 물거품이 되어 사라질 거예요.

보고 싶다, 보고 싶어. 물거품이 되어 사라진 인어가. 분명 내가 구할 수 있을 것이라 생각했던 것이 전부 산산조각이 나 사라져버렸다. 인어는 죽었을 것이다, 아마도. 인어는 내가 구하지 않으면 사라지니까, 인어에게는 내가 왕자니까. 난 그렇게 생각할래, 보고 싶은 인어야. 내게 나타나주렴.

세상은 내가 더럽단 걸 알고 있겠지. 내가 제대로 살아먹지도 못하는 사람이란 걸 잘 알고 있겠지. 그냥 내 존재가 존재하면 안 되는 것이라는걸, 만들어지지 않았어야 된다 는 걸 느끼고 있겠지. 그래야만 한다. 세상 은 나를 형성하게 한 것이 잘못된 걸 뼈저리 게 느껴야 한다, 쓸모없고 더러운 나를.

내가 말라죽을까 봐 겁나. 죽지 말라 해도
죽으려 한다는 말만 내뱉다가 말이야. 죽는
다 말하면 자동 응답기처럼 죽지 말란 소리
만 내뱉는 사람이 필요해. 그래야 내가 죽는
다는 말만 하다 죽을 일은 없을 테니까. 죽
고 싶은데 죽고 싶지 않아서 하는 말이니까,
말라죽을 순 없으니까.

제2 사랑하는 희소

살아야지, 살아야지 다짐하고 또 다짐한다.
그 사람이 살라 말했으니 살아야지 하고.

그렇게 다짐한 지 1시간도 채 되지 않았는데
그새 죽어버리고 싶다.

다짐한 지 얼마나 되었다고,
그 사람도 사는데,
내게 살 이유를 쥐여 주는데
그럼에도 죽고 싶다.

살아야 하는데‥ 죽고 싶어 미칠 지경이다.

차갑게 식어가던 너의 모든 것에
눈물을 흘려보낸다.
너를 보며 속으로 외친다.
차갑게 식어가는 너의 몸에 내 소은 벌벌
떨며 너의 몸을 쓸어내린다.
시체를 사랑하라면 사랑하겠다.
내 전부이던 너를 시체라도 사랑하겠다.
그러나 이제 전처럼 내게 오는
너의 사랑은 없다.
시체가 된 네게 나는 사랑을
주기 밖에 할 수 없다.
사랑한다는 말을 뱉으나 들을 수는 없다.
차라리 네 뇌를, 너를 파먹을까.
그럼 너의 생각이 내게 들어오지 않을까.
내가 사랑한다는 말하면 네게서도 사랑한다
는 말을 들을 수 있지 않을까.
이렇게라도 해야 네가 나를
떠나지 않을 것 같다.

너를 먹어 내 안에 가두어야 할까?
내 안에 가두어 살게 해야 할까.
장난식으로 말하던 각자가 죽으면 서로를 먹
어 서로의 몸 안에서
살게 하자는 말을 실행해야 하는 걸까.
어떻게 해야 네가 나를 사랑할 수 있을까.
너를 먹어 내 안에 가두면
너의 뇌와 장기를 먹어 너의 생각과
마음마저 내가 가질 수 있을까.

네게 물었다.

만약 네가 사랑하는 사람과 내가 물에 빠지면 누구를 구할 것이냐고.

너의 대답은 아주 달콤했다.

사랑하는 사람은 너이니까, 당연히 너를 구하겠지 라고.

잠깐을 생각하디 나는 다시 물었다.

만약 내가 정말 깊은 바다에 빠져 허우적댄다면,

그때도 나를 따라와 구할 거야?

그러자 네가 웃으며 대답했다.

응, 당연하지.

어째서냐 물으니 너는 내게 답했다.

얘기했잖아 넌 내 전부라고.

내 목숨을 바쳐서라도 넌 살릴 건데.

다시 한 번 왜냐고 물었다.

내 전부라고 했는데 가치가 없을까.

널 사랑해, 너무 사랑해서 널 잃을까 두려울

정도로.

나를 안심시킨 너와 바다를 간 게 잘못이었을까.

네게 누구를 구할 것이냐고 물어본 게 잘못이었을까.

먼 곳을 보고 싶다며 너와 떨어져 헤엄친 게 잘못이었을까.

나를 살리러 헤엄쳐 온 너를 두고 도망친 탓이다.

사랑하는 사람을 어째서 내가 어떻게.

네가 바다 깊은 곳에서 발견되었을 때 나도 따라가고 싶었다.

내 전부였던, 세상이었던 네가 없는
이 현실을 난 버틸 수 없다.

난 네 이야기대로 강하지 않다.
둘 중 한 명이 죽더라도 산 사람은 살아야
한다는 에 말을 난 지킬 수 없다.
" 누구세요? "

" 나 진짜 몰라? "

모른다. 그녀가 누구인지.
아무리 생각해 보아도 떠오르지 않는다.
내 기억 속에 없는걸 보니 모르는 사람이 맞
는데,
어째서 그녀는 왜 내 앞에서 우는 건지.
모르겠다. 내가 왜 알지도 모르는 사람을 신
경 써야 해.
그렇게 그녀를 잊고 살았다.
직장도 평범하게 잘 다녔고 고등학교 때 친
구들도 만났다.
그렇게 2년 즈음 지났나, 내게 전화 한 통이
걸려왔다.

어떤 나이가 든 어머니 분이었는데 어딘가
익숙했다.

" 너 때문에 우리 희소가 죽었어. "

희소, 이름을 듣자 눈물이 마구 흘렀다.
모르는 ㅇㅣ..어? 아니다. 아는데.. 아는데,
죽었다고?
나 때문에?
부정했다. 머리를 헝클어뜨리며 마구 흔들고
부정했다.
내가 혐오스러워질 지경이었다.
나와 애열을 꿈꾸던 그녀였다.
나와 미래를 꿈꾸었고, 나와 행복을 꿈꾸었
는데

죽었대.

* 망애 증후군 : 무언가의 계기로 인해 사랑
하는 이를 잊음, 사랑했던 상대를 거절하고
시간이 지나면 잊어버림, 치료법 / 사랑하는
이의 죽음.
* 희소 : 실없이 웃음, 예쁘게 웃음.
* 애열 : 사랑하고 기뻐함.

자살할까? 네 물음에 나는 아무 대답하지 못했다. 나를 위한 말인 걸 알기에. 내 일기장에 죽고 싶다고, 자살을 원한다고 수백 번 써놓은 걸 읽은 것인지 나를 위해 네가 물었다는 걸 안다. 맞잡은 내 손을 놓지 않고 나를 안아주던 너는, 내 전부인 네가 떠나가듯 울던 나를 토닥이는 너는, 나의 눈을 끝까지 보았다. 그러고는 내게 죽을 것이냐 물었다. 그때 그 시간을 난 잊을 수 없다. 비가 추적추적 내리는 날이었고, 사고가 났었던 건지 차들의 경적 울리는 소리가 잔뜩 나던 날이었다. 쓰던 우산을 떨어뜨린 채 어린아이처럼 엉엉 소리내어 울었고, 나를 토닥이는 큰 손이 나를 잔잔하게 만들었다. 우산이 있었은 쓰지 않고 걸었다. 우리의 머리는 비에 젖어 푹 내려앉았고 옷은 흠뻑 젖어 추워했다. 그럼에도 쓰지 않았다. 그렇게 걸었다.

너는 내 손을 꼭 잡은 채로, 내 손을 잡은 네 손목에도 나와 같은 상처가 있었다. 붉었고 아파보이던 상처가, 네 옷에 가려져 있었다.

꿈에서 그랬어.
철창 뒤 나오지 못하는 나를
네가 꺼내주었어.
미소를 지으며 내 손을 잡고.
그리고는 안아주더라.
꿈에서도 네가 나를 안아줬는데,
내가 사는 현실에서도 가까이 가봐야지.
죽어도 네게 가보고,
너를 안아보고 죽을래.
그래야 죽는데도 행복할 것 같아.
내 꿈을 이룬 거잖아.

같이 살고, 같이 죽자 우리.
방에 조명을 다 끈 채로 불 하나 켜놓고.
어깨를 맞대고 서로를
껴안으며 그렇게 같이 살자.
매일매일이 아프지 않게,

그러다 죽자.
죽을 때는 서로 얼굴을
마주 보고 미소 지으며,
사랑한다고 말하면서 그렇게 죽자.
예쁘게 살다가 나랑 죽자.

나를 위해 아파주렴.

나를 위해 뜨겁게 반짝이다 그러다 떨어져
죽어버리렴.

나를 사랑하는 만큼 올라가 떨어지렴.

나만을 위해 밝게 빛나다
나를 위해 추락해 주렴,

내 사랑하는 사람아.
내 별아,
나를 위해 죽어주렴.

숨이 차요.
뛰어보지도 않았고,
바다에서 수영을 하지도 않았어요.
숨이 너무 차서 죽을 것 같아요.
바다에 도착하지도 않았는데 숨이 막혀서
질식해버릴 것 같아요.
이왕 숨이 차서 죽을 거면 익사하려는 건데,

내 숨이 버티지를 못해요.
그냥 사는 게 숨이 차나 봐요.
무얼 해도 숨이 차요.

당신이 정말 많이 후회했으면 좋겠습니다.
아무 말 없이 나를 버리고 간 것을,
내가 그렇게 많이 흘리던 눈물만큼, 당신이
내게 사랑한다 말한 만큼.
나를 그렇게 제대로 못 살도록,
한동안 휘청거리게 한 만큼 후회했으면 좋겠
습니다.

무언갈 먹고 즐거운 걸 할 때면 내가 떠올라
그 자리에서 펑펑 울어버렸으면 합니다.
어쩌면 이걸 볼 수 있을지도 모르겠습니다.

그러면 이건 당신에게 보내는 내 저주라 생
각해 줬으면 합니다.
난 당신이 죽었는지 살았는지
생사를 모릅니다.

그러니 살아있다면 나를 두고 간 것을 후회
해 주십시오.
지금의 전 당신을
아주 많이 미워하는 중이니,
이것의 반만이라도 후회해 주십시오.

네가 이미 내 지옥인데,
내가 그곳에 빠져들길 원해.

마치 네가 내게 오라며 손을 잡은 기분이야.
죽은 사랑을 하는 기분,
표정과 행동은 남아있는데
감정은 없는 것 같아.

날 이곳에서 내보내줘.
내가 이곳에서 나가게 해줘.

당신을 떠올리는 게 괴로운 일이 되었다.

잊는 것보다 더욱.
당신만을 곱씹으며 했던 생각과 하루를 이제
는 그만해야 한다,

내 것이 아니니.

이제 그만 놓고 미련 없이 죽어야 할 텐데.
잊어야 할 텐데.
난 아직 놓지 못했다.

난 아직 당신이 살아있기에 살아있는다.

괜찮다고 말했다.
괜찮을 줄 알았다.
네가 있어서 괜찮을 줄 알았다.

너를 안심시키기 위해서.
네가 무얼 해도 나는 괜찮다고
그렇게 말했다.

네가 나를 두고 간다 하여도,
네가 나를 영원히 떠나간다 하여도,

괜찮다.

괜찮아야 한다.
난 늘 네게 괜찮다고 말할 것이다.

세상과 하나가 되고 싶었다.

사랑하지도 않는 세상이었지만
세상에게 파묻고 싶었다.
세상에게 안겨 어리광 피우고 싶었고
사랑받고 싶었다.

한 발자국 내디디려는
순간 그가 나를 잡았다,

세상과 하나가 될 순간에.

그는 울고 있었다.
나를 끌어당기며 안았다.
그 품은 마치 세상이 나를 안은 듯했다.

좀 참을 줄도 알아야 하는데,
자꾸만 엉엉 울어대며 당신에게 안겼다.

영영 내게서 떠나지 않을 것 같은 존재,
나를 안고 괜찮다고 말해주는,
그리고 나의 방패 막일 것 같은

나의 당신은 엉엉 울던
나를 늘 안아들어 토닥였다.

아프다고 소리쳐도 받아들였고
항상 나를 기다렸던 당신은
떠나지 않을 것만 같았다.
그래야만 한다고 생각했다.

그야 나는 기댈 곳이 필요했으니까
안겨서 쉴 곳이 필요했으니까.

그것에 지쳤던 건지 당신 역시도
나를 떠났다.
분명 내 잘못이겠다,
그러나 부정할 수밖에 없다.

누군가 탓해야 하는데 내 탓인 걸 아니 나로
못하고 당신을 탓했다.
나를 탓하기 싫어서.

당신에게 안기기 전에 나는 꾹 참아야 했다.

그것이 뭐였든 간에.

당신이 떠나는 걸 막기 전에 잡았어야
했고 알아야 했다.
내게 지쳤고 나를 보면 아프다는
것을 알아야 했다.
더이상은 나를
받아드릴 수 없다는 것을 알고,
무엇이든 간에 참아야 했다.

네가 나를 죽여줬으면 좋겠어.

네 손으로.

네가 나를 망가트려서,
벼랑 끝으로 내몰아서.

그렇게 죽여줬으면 좋겠어.

그리고는 살 수 없을 정도로
후회했으면 좋겠어.
아프고 지쳐서 나를 따라 몸을 던졌으면 해.

그렇게 나를 보러 왔으면 좋겠어.

만지면 아스라질 듯한 세상이다.

별 조각들이 바닥으로 흘러내리고,
햇빛은 구름을 향해 녹아내린다.
구름은 햇빛과 섞여 눈을 만든다.

눈들은 땅으로 곤두박질치며
세상을 하얗게 만든다.

하얀 세상은 조금의 어둠이 다가오면 어둠으
로 가득 차버릴 것 같았고
그런 세상을 건드리면
부서져내릴 것만 같다.

아슬아슬하게 버티는 세상이다.
한 올 한 올 아스라지지 않게 빚어야 한다.

조금이라도 잘못 건드렸다가는 전부 무너져

내릴 터이니.

내 사랑을 먹고 자라나렴.
내 행복을, 내 운조차도 먹고 자라나렴.
그렇게 그 누구보다 커지렴.

누구보다 행복하고 사랑이 가득한 아이로.

그러다 펑 터지는 거야.

내 모든 운과 사랑, 행복을 먹었으니.
과부하가 걸려서 펑 하고 터지는 거야.

그렇게 멸종하는 거지, 이 세상에서.

내게 네 불안과 불운 모두를 넘겨주고,
모든 내 행복은 네가 가진 채로,

멸종하여 사라져 버리렴, 별의 아이야.

너의 슬픔마저 사랑한다.
너의 웃는 모습에 입을 맞춘다.
네가 화로 물든 날이면 부드러운
손길로 쓰다듬는다.
이것이 내가 만든 네게
사랑 받기 위한 방법이다.

이럴 때면 넌 함박웃음을 짓고
내게 안겨들었으니.
그러나 이젠 이것도 쓰지 않는다.
어느 순간부터 너는 내게 안기지도 함박웃음
을 보이지도 않았으니까.

내일 비가 온대.
우산 챙기라 말해야지.

아니다.
그냥 내가 데리러 갈래.
얘기하지 않을 거야.

그래야 네가 날 부를 테니,
네가 나를 찾을 테니.

네가 날 찾기를 원하면서 몇 날 며칠을
비 소식이 있을 일기예보만 뒤적거린다.

비가 오니 데릴러 와,
이 말이 마치

나를 찾는 말인 것 같아서.
이 말이 간절해.

내일이 오지 않았으면 좋겠어.

내일이 도망갔으면 좋겠어.

내일이 아무도 알지 못하는 곳에
숨어버렸으면 좋겠어.

그렇지 않으면 이 한겨울,
눈이 쌓이는 날 네가 죽여주었으면 해.

날 죽인 것으로 인한 후회로
네가 내일을 살아갔으면 해.

" 넌 죽지마. "

" 왜? "

- 그야 내가 널 보고 싶으니까.

" 죽어서는 못 봐? "

" 응, 우리 같이 있는 채로 못 봐."
" 서로의 눈웃음도 못 보고,
같이 손도 못 잡아, 서로의 체온을 느낄 수
없어. "

" 그러면 죽지 말아야 해? "

" 죽어서 못 하는 거 살아서는 해야지. "
" 살아야 해, 넌. "

저는 자살한 그 아이를 좋아했어요.
그 아이를 저는 봄이라고 불렀고요.
예쁜 아이였어요.

햇빛에 비출 때 그 아이는
무척이나 아름다웠어요.

바람에 머리카락이 살랑거렸고
그 아이의 치마도 조심스레 휘날렸어요.

근데요, 내 봄이 없어요.
자살했대요.

어떡하죠, 전 봄이 없으면
살 수 없을 것 같아요.

우리가 함께 했던 계절을 기억해?
서로 죽는다면 따라 죽겠다는
그 계절 있잖아.

꽃봉오리가 살랑거리며
사랑을 속삭이는 봄이,
와인에 젖은 손목을 비추며
바다를 거닐던 여름이,
붉게 물든 낙엽을 서로에게
눈처럼 내려주던 가을이,
찬 눈에 서로 소매를 감싸며 안던 겨울이,

우울이란 계절이 우리를 감싸려다 서로가 막
아내던 그 계절들을 기억해?
우리가 함께 존재하며 어울리던
그 계절들을 잊지 마.

사랑해.

우리의 여름은 어땠었나.
서로를 위한 계절이었다.

서로가 우선이었고 사람 모두
서로에게 향하던
뭉게 구름이 많던 날,
서로에게 해를 선물하며 힘듬도
버텼던 날들이 생각난다.

시원한 아이스크림을 건네며 함께
웃던 소리에 행복해하던 우리는
이제 존재하지 않는다.

그렇게나 아름다웠던 우리는,
우리의 여름은 사라졌다.

나를 앗아간 별아
잘 지내니.

내 반짝임도,
내 색도 뺏어간 너는 잘 지내니.

나를 떠나간 별아
나 좀 데려가지 그랬어.

별아, 별아
나의 모든 걸 앗아갔는데 도대체
내 혼은 왜 가져가지 않았어.
차라리 나도 가져가버리지.
그렇게 내 존재를 없애버리지 그랬어.

눈을 감으면 다른 세계였어.
내가 살고 있는 세계와는 다른
아주 아름답고 평화롭던.

어둡지 않았어,
외롭지도 허하면서 공허하지도 않았지.

그래서 눈을 감았어.
매일 하루 종일을 눈을 감고 생활하려 했어.
그 예쁜 세계에서 살고 싶어서.

세상으로 돌아간 너는 어떻게 살까.
행복할까,
아니면 세상을 버릴 때처럼 불행할까.
불행했으면 한다.

그리고는 다시 내 곁에 돌아왔으면 한다.
그러면서 내 곁이 행복했었다고,
너를 품지 못해 미안하다며,
얘기해줬으면 한다.

나는 그만큼 욕심이 많다.
사랑했던 너를 다시 가지고 싶어 한다.

아파했던 너를 다시 내 곁에 눕혀 잠재우며
괜찮다 말하고 싶다.

세상으로 돌아간 너를 난 아직 탐낸다.

네가 나와 있을 때보다 세상으로 돌아간 네
가 온전하지 않았으면 한다.

차갑게 식어가던 너의 모든 것에 눈물을 흘려 보낸다. 너를 보며 속으로 외친다.

차갑게 식어가는 너의 몸에 내 손을 벌벌 떨며 너의 몸을 쓸어내린다.

시체를 사랑하라면 사랑하겠다.

내 전부이던 너를 시체라도 사랑하겠다.

그러나 이제 전처럼

내게 오는 너의 사랑은 없다.

시체가 된 네게 나는

사랑을 주기 밖에 못한다.

차라리 네 뇌를, 너를 파먹을까.

그럼 너의 생각이 내게 들어오지 않을까.

내가 사랑한다 말하면, 네게서도 사랑한다는 말을 들을 수 있지 않을까.

그렇게 너를 더 사랑하고 싶다.

이렇게라도 해야 네가

나를 떠나지 않을 것 같다.

너를 먹어 내 안에 가둬야 할까?

장난식으로 말하던 각자가 죽으면 서로를 먹
어 서로의 몸 안에서
어떻게 해야 너를 더 사랑할 수 있을까.
너를 먹어 내 안에 가두면,
너의 뇌와 장기를 파먹어서
너의 생각과 마음마저
내가 가질 수 있을까.

네게 물었다.

만약 네가 사랑하는 사람과 내가 물에 빠지면 누구를 구할 것이냐고.

너의 대답은 아주 달콤했다.

사랑하는 사람은 너이니까 당연히 너를 구하겠지, 라고.

잠깐을 생각하다 나는 다시 물었다.

만약 내가 정말 깊은 바다에 빠져 허우적댄다면,

그때도 나를 따라 들어와서 구할 거야?

그러자 네가 웃으며 대답했다.

응, 당연하지. 어째서냐 물으니 너는 내게 답했다.

얘기했잖아, 넌 내 전부라고?

내 목숨을 바쳐서라도 넌 살릴 건데.

다시 한번 왜냐고 물었다.

내가 그 정도의 가치가 있는 사람인지 궁금해서.

그는 나를 보며 말했다.

내 전부라고 했는데, 가치가 없을까.
널 사랑해, 너무 사랑해서 널 잃을까
두려울 정도로.
나를 안심시킨 너와 바다를
간 게 잘못이었을까.
네게 누구를 구할 것이냐고
물어본 게 잘못이었을까.
먼 곳을 보고 싶다며 너와 떨어져 헤엄친 게
잘못이었을까.
나를 살리러 헤엄쳐 온 너를 두고
도망친 탓이다.
사랑하는 사람을 어째서, 내가 어떻게,
네가 바다 깊은 곳에서 발견되었을 때 나도
따라가자 싶었다.
내 전부였던, 세상이었던 네가 없는 이 현실
을 난 버릴 수 없다.
난 네 이야기대로 강하지 않다.
둘 중 한 명이 죽더라도 살 사람은 살아야
한다는 네 말을 난 지킬 수 없다.

너 없는 여름은 어떨까.

사계절을, 그리고 봄을 함께 보낸 우리는 찾아오는 여름에 끝이 났다.

서로의 미래를 같이 그려냈고 매 순간을 함께 하기로 했었다.

이제 찾아온 이 여름에 너는 없다.

그렇게도 사랑스럽고 눈이 부시던

너는 내 곁에 없다.

파란 하늘을 떠 있고 날아다니는 구름을 함께 보자 약속했는데,

매 순간 같이 있던 너와의 그 약속은 무너져 버렸다.

같이 보내던 여름에서 너 없는 여름은 어떻게 보내야 할까.

너 없는 꿈에서 난 이리저리 돌아다닌다.

분명 어제까지만 해도 나의 꿈에서 너는 나를 기다리고 있었다.

왜 오늘은 없는 거지?

한참 동안을 나는 너를 찾아다녔다.

찾고 싶었다.

행방이 사라진 너를 찾아야 한다.

내가 죽지 않고 잠에 빠지게 된,

이제 나의 전부가 되어버린

너를 찾아야 한다.

네가 간절히도 보고 싶다.

너의 눈을, 코를, 입술을

하나하나 훑고 싶다.

내 것이라 말하던 너를 찾을 것이다.

찾을 때까지 나는 이 텅 빈 꿈속에서 나가지 않을 것이다.

네가 자주 울지 않았으면 해.
아프지 않았으면 하고 지치지 않았으면 해.

꽃봉오리가 살랑이고 불구덩이 같은 여름이
지나가고
단풍이 떨어지는 가을이 올 때
손이 꽁꽁 얼어버릴 것 같은
겨울이 왔을 때도
네가 아프지 않았으면 해.

슬픔을 몰라서 지침이란 게 무엇인지
모르길 바라고.

죄다 고백하는 말이었는데 널 사랑한다 표현
할 뿐이었어 난.

죽고 싶지 않아서 그랬어.
조금이라도 더 살아보려고.
그래서 말 하나하나 네게 고백하는 말이었
어.

널 조금이라도 더 보려고.
네가 내 전부가 되었을 때 너로 인해 망가지
지 않기 위해서
고백했고 죽어버린다면 너 때문에 죽은 것
같았어.

내 바다가 되어준다면서요.

아니었어요?
거짓말이었던 거예요?

내가 본 당신은 끝없이 커졌고 넓었어요.
그래서 부탁한 거였어요.

제발 내 바다가 되어달라고. 근데 왜 지금의
당신은 나를 버리려 하는 건가요.

허한 모래사장에 나 혼자 두고 파도를 따라
가려는 걸까요, 나만 두고.

내게 왜 손 내밀었어요.

왜 하필,
당신이 손을 뻗은 사람이 나였던 거예요.
아무도 없을 때였던 걸 노렸어요?

왜 그때야 내게 손을 내밀었던 거예요.
버릴 거 아니었어요?

맞잖아요.
지금 나처럼 버릴 거였으면서 왜 애초에,
왜 손을 내밀었어요,

잡고 싶어지게.
죽고 싶어지게 왜….

사랑해

내 마지막 말이야 네게 전하는.

네가 예쁘게 살기를.
누구보다 잘나고 아름답게 나아가기를 원해.

나는 너와 어울리지 않으니까.
나야 곧 금방이라도 죽을 사람이니까.

곧 죽을 사람 데리고 살아서 뭐해
그렇잖아?

내 마지막 너였어 사랑해.

선생님
선생님은 내가 어린 애인 줄만 알죠.

어리고 예쁘고 딱 그 정도인 줄만.
그런 애가 그저 가볍게
선생님을 좋아하는 줄만 알죠.
내가 무슨 생각하며
선생님을 좋아하는 줄 모르잖아요.
선생님은 내가 어떻게 사는 줄 모르니까.
선생님의 말 하나하나에
내가 어떤 줄 모르니까.
내가 무슨 생각을 하며 선생님을 좋아하는
줄 모르잖아요.

선생님은 분명히
나를 버릴 테니 티내지 않을게요.
나는 쓸모가 없으니까 분명해요.
그저 조용히 좋아만 할게요 선생님.

언제쯤 입술을 물어뜯지 않고
네 이름을 부를 수 있을까.

그 조그마한 입술에서 그렇게 많은 피가 흐
를 줄은 몰랐다.
툭툭 떨어지는 입술에서 나는
피를 순에 가득 묻힌 채 네 이름을 부른다.

나에게만 다정한 네 이름을
그럴 거라 믿고 있는 나를 바보라 생각하며.

어차피 넌 내 이름밖에 모르니까.

나는 너를 사랑한다, 분명히.

네가 좋아하는 것을 알고, 네가 무엇을 즐겨
듣는지도 알고 있다.

그뿐인데, 정말 사랑인가?
난 너를 잘 알지 못한다.
내가 계속 보고 싶다는
이유로 사랑이라 하는 것이 아닐까?

넌 내게 무엇이고, 내게 넌 무엇일까.
나는 너의 무엇을 사랑하는 것이고
사랑이 무엇일까.

매일 나쁜 꿈을 꿔야 해, 자기야.

내가 죽어버리는,
내가 아파 사라져버리는 그런 꿈.

눈 뜨고 일어났을 때는 내가 없을 테니까
더욱 아프게.
고통에 몸부림쳐줘.

내가 없다는 것에 아파하고 죽고 싶어 해줘.

그리고 다시 나타난 나를
구원으로 삼고 내 곁에 있어 줘야 해,
자기야.

겨울이 좋아요.
새하얗고 깨끗한 겨울이 좋아요.

예쁘잖아요.
파묻혀 죽고 싶게 말이에요.

당신과 함께면 좋겠어요.
춥고 차가운 겨울에 당신만이 따뜻하니까..
내 곁에 있어주세요.

세상과 하나가 되고 싶었다.

사랑하지도 않는 세상이었지만 세상에게 파
묻고 싶었다.
세상에게 안겨 어리광 피우고 싶었고 사랑받
고 싶었다.

한 발자국 내디디려는 순간
그가 나를 잡았다,

세상과 하나가 될 순간에.
그는 울고 있었다.

나를 끌어당기며 안았다.
그 품은 마치 세상이 나를 안은 듯했다.

사랑한다는 말이 쉽지만 않았으면,

그 말이 그렇게 예쁘지만 않았더라면
그럼 내가 네게 사랑한다
말할 일이 없었을까.

아니면, 그 말이 아무리 어렵더라도
나는 네게 말했을까.
아마 말했겠지?

너로 인해 내 목숨까지
이리저리 치우쳤으니까.

자살 신고가 들어왔다.
그 많은 학생들 중 하나겠지,
늘 그랬으니까.

언제나처럼 똑같이 그들을
살릴 도구만 간단히 챙겼다.
그들의 이유는 늘 비슷했으니까,
다시 살아갈 이들이니까.

도착했을 때 그 아이는 무언가 달랐다.
이곳저곳이 엉망이었고 한 손엔 흉기와 한
손엔 일기장 같아 보이는 무언가를 껴안고
있었다.

그 아이에게 피가 후드득 떨어졌다.
마치 우리가 보기를 기다렸다는 듯이.
그 아이가 손에 쥐고 있는 것에 한눈이 팔려
있을 때 즈음 그 아이는 바다로 뛰어들었다.

모든 사람이 보길 원했었는지
사람이 모여 수군거릴 때.

어딘가로 떠내려가 찾지 못하고 주운
일기장엔 모두가 바보같다며,
이 세상을 원망하는 모든 말들이
쓰여있었다.
그리고 사랑을 원했다는 말도.
한참이 지나 그 아이의 시체를 찾았을 때 본
인이 한 것인지 모를 칼로 한 하트 모양의
흉터가 곳곳에 자리 잡고 있었다.
그 아이는 어째서
세상을 원망하면서도
사랑을 바라고 있었던 것일까.

S,
너와 내가 사랑한다는
말을 주고받았을 때부터
난 네게 눈을 떼지 못했었나 봐.

네가 하는 말,
하는 행동 모두 빛이 나서 눈이 부셔도
중독된 듯 네게 다시 다가갔어.

너를 보지 못할 순간이 와도 마치 약에 중독
된 것처럼 다시 널 찾고 찾아서 결국 널 또
마주했어,
아픈데도 말이야.

S,

안녕. 잘 지내.

이제 마지막 인사야 정말.

내게 전부 같던 너를 내게서 지워보려 해. 잘 안되겠지, 너로 인해 아팠고 무너진 게 셀 수 없이 많으니까. 근데 그래도 해야 되더라고. 죽으려면, 하나씩 접어야 하잖아. 그래야 죽기 쉬우니까. 그래서 이제 마지막이야! 잘 지내. 사랑하고 사랑했어.

어떻게 그렇게 쉽게 죽을 생각을 했을까. 네 것을 만들었어야지. 그러니, 무조건 받아먹지 말았어야지. 그 작은 걸 받아먹고 나서 버려지니 네 전부를 잃은 것 같잖아. 네 것을 만들고 이리저리 굴려 크게 만들었어야지, 힘이 되어줄 것들이 있을 때 멍청한 아이야. 그렇게도 예뻤던 바보 같은 이야.

사랑이 녹아내린다. 너와 내가, 어둡고 깊은 곳으로 빠져들어간다. 밑으로, 더 밑으로…… 아무도 발견하지 못할 정도로. 사랑이 녹아 물처럼 흐른다. 마치 피인 듯 빨갛게. 너와 나, 그리고 사랑이 뒤섞인다. 무슨 색인 지도 모른 채, 어떻게 뒤섞이는지도 모르고.

절실하게, 그리고 아프도록 사랑했던 우리였
다. 그러나 당신은 내 사람이 아니었나, 인
연이 아니었나. 인연이었더라면 다시 마주쳤
겠지. 인연이었더라면 네가 나를 다시 찾아
주었겠지, 우린 인연이 아닌 것이라고 단정
지을래 이젠. 사랑해, 그리고 물 흐르듯 내
게서 흘러가기를.

입맛이 없다. 최근 네 꿈만을 꿔서 일까. 온통 너로 가득 차버렸다. 걸을 때도, 잠을 자기 전에도 밥을 한 숟가락씩 뜰 때에도 전부 네 생각뿐이었다. 네가 미워서 일까, 나를 두고 떠난 네가. 아니면 네가 보고 싶은 걸까. 온통 너로 차있는 나를 부숴버리고 싶다. 뇌를 꺼내 잘근잘근 씹어 먹고 싶다.

다음에, 다음에 통화하자. 다음에 만나자, 다음에 저거 하자 다음에 다음에 다음에… 우린 매일 같이 다음에라는 말을 썼다. 다음에 저거 먹자, 다음에 저기 가자. 전부 다음에라는 말뿐이었다. 말을 뱉다 우리가 헤어지는 마지막 날, 우리는 다음을 쓰지 않았다. 없을 걸 알기에.

요즘 자꾸 네 꿈을 꿔. 잘 웃지 않아 보이던 네가 꿈에서는 환하게 웃고 있어. 내 손을 잡아끌며 어디로든 데려가려 하고 힘들어 울고 있을 때면 안아주며 괜찮다고 토닥여줘. 떠나지 않겠다고 말하면서 말이야. 네가 보고 싶은 걸까. 날 떠난 너를 아직 좋아하는 걸까, 또 난 너를 원하고 있는 걸까.

잘 지냈어? 난 못 지냈어. 아프고 슬퍼하다
가 틈틈이 무너지기도 했어 외로웠고, 공허
함뿐이었어. 내게 행복이 찾아오지 않았어.
네가 없으니 행복할게 하나 없더라. 그래서
이젠 그냥 내가 너무 어리석다고 해. 괜찮아
야 했던 우리었는데, 헤어짐을 말한 내가.
서로의 버팀목이던 우리가 서툴렀다고.

우리는 세상이 추워져 모두가 나오지 않을 그런 계절에도 걸었다. 두 손 꼭 잡고 따뜻한 코코아를 하나씩 들며 산책을 즐겼다. 모두가 없는 겨울에, 눈이 오고 차 한 대도 돌아다니지 않는 텅 빈 도로는 우리를 해맑게 웃도록 만들었다. 너랑은 그런 웃음이 나는 바보 같은 사랑이 참 행복했었는데.

아파서 이도 저도 못하고 있었어. 심장인지, 내 뇌인지 너무 아파와서. 총에 맞아 뚫린 것처럼 가슴이 저려왔고 뇌는 쥐가 와서 파먹은 건지 이를 꽉 물어야 할 정도로 무척이나 아팠어. 심장도, 뇌도 쥐가 다녀간 걸까? 아니면 심장은 누가 빼내 가기라도? 그게 무엇이든 그 아픔을 난 설명할 수 없어.

계절이 바뀌어도 너는 내게 남아줘. 내게 남아서 우리 더 애틋해지자. 한 계절이 지나갈 때마다 점점 아파지다가 우리가 정해둔 마지막 날에 만나 같이 바다로 뛰어들자. 서로 꼭 안고, 손을 잡고 사랑한다 말하면서. 애틋해지다 아파하고, 그리고 사랑하다 죽자 우리.

살아요.
살아서 나 봐야죠.

사랑한다면서요.